- HERGÉ -

EACHTRAÍ TINTIN

PORTÁN NA NORDÓG ÓRGA

GABRIEL ROSENSTOCK
A CHUIR I nGAEILGE

Tintin timpeall an Domhain

Afracáinis Human & Rousseau
Airméinis Éditions Sigest
Araibis Elias Modern Publishing House
Asaimis Chhaya Prakashani
Beangáilis Ananda Publishers
Béarla Egmont UK
Béarla (SAM) Little, Brown & Co (Hachette Books)
Béarla na hAlban Dalen Alba
Breatnais Dalen (Llyfrau)
Catalóinis Juventud
Cóiréis Sol Publishing
Coirnis Dalen Kernow
Criól Caraïbeeditions
Criól (Réunion) Epsilon Éditions
Cróitis Algoritam
Danmhairgis Cobolt
Dúitsis Casterman
Eastóinis Tänapäev
Fionlainnis Otava
Fraincis Casterman
Gaeilge Dalen Éireann
Gaeilge na hAlban Dalen Alba
Gearmáinis Carlsen Verlag
Gréigis Mamouthcomix

Hiondúis Om Books
Indinéisis PT Gramedia Pustaka Utama
Iodáilis RCS Libri
Ioruais Egmont Serieforlaget
Íoslainnis Forlagið
Laitvis Zvaigzne ABC
Liotuáinis Alma Littera
Polainnis Egmont Polska
Portaingéilis Edições ASA
Portaingéilis (An Bhrasail) Companhia das Letras
Rómáinis Editura M.M. Europe
Rúisis Atticus Publishers
Seapáinis Fukuinkan Shoten Publishers
Seicis Albatros
Seirbis Media II D.O.O.
Sínis (Casta) (Hong Cong) The Commercial Press
Sínis (Casta) (An Téaváin) Commonwealth Magazines
Sínis (Simplithe) China Children's Press & Publication Group
Slóivéinis Učila International
Spáinnis Juventud
Sualainnis Bonnier Carlsen
Téalainnis Nation Egmont Edutainment
Tuircis Inkilâp Kitabevi
Ungáiris Egmont Hungary

daleneireann.com

Le Crabe aux pinces d'or
© Cóipcheart san Ealaín ag Casterman 1953
© Téacs Gaeilge ag Dalen (Llyfrau) Cyf 2015

Gach ceart ar cosaint. Tá ábhar an leabhair seo faoi chosaint de réir Dlíthe agus Conarthaí Cóipchirt idirnáisiúnta agus náisiúnta. Tá cosc ar an ábhar sin a athchló nó a úsáid gan chead. Ní ceadmhach aon chuid den leabhar seo a atáirgeadh ná a tharchur ar mhodh ar bith, leictreonach ná meicniúil, lena n-áirítear fótachóipeáil, taifeadadh ná trí aon chóras stórála nó aisghabhála faisnéise gan cead sainráite i scríbhinn.

Arna fhoilsiú de bhun comhaontú le Éditions Casterman
An chéad fhoilsiú 2015, Dalen Éireann, Dalen (Llyfrau) Cyf, Glandŵr, Tresaith, Ceredigion SA43 2JH, An Bhreatain Bheag
Aistritheoir: Gabriel Rosenstock
Eagarthóir: Antain Mac Lochlainn

Admhaíonn an foilsitheoir cabhair airgeadais Idirmhalartán Litríocht Éireann (ciste aistriúcháin), Baile Átha Cliath, Éire
www.irelandliterature.com I info@irelandliterature.com

ISBN 978-1-906587-52-9

Arna chlóbhualadh i An Bhreatain Bheag ag Cambrian

PORTÁN NA NORDÓG ÓRGA

Yabha! Abha!... Abha!

?

A Bháinín! Féach anois cad a thiteann amach nuair a ransaíonn tú boscaí bruscair. Drochnós! Ní fheicfidh tú mise á dhéanamh!

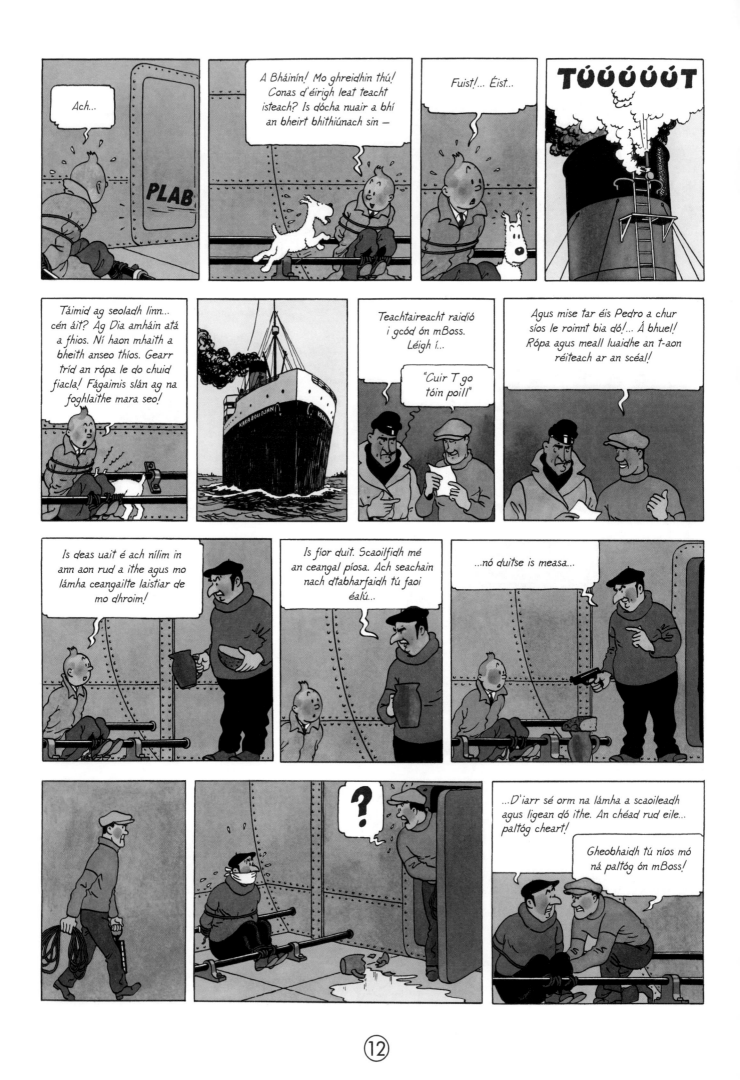

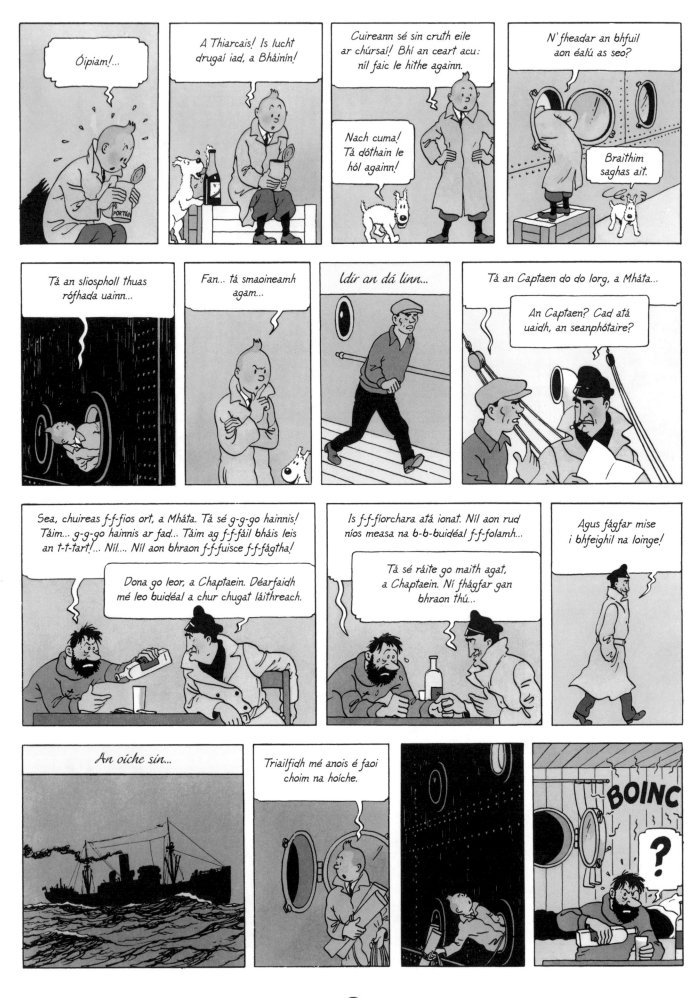

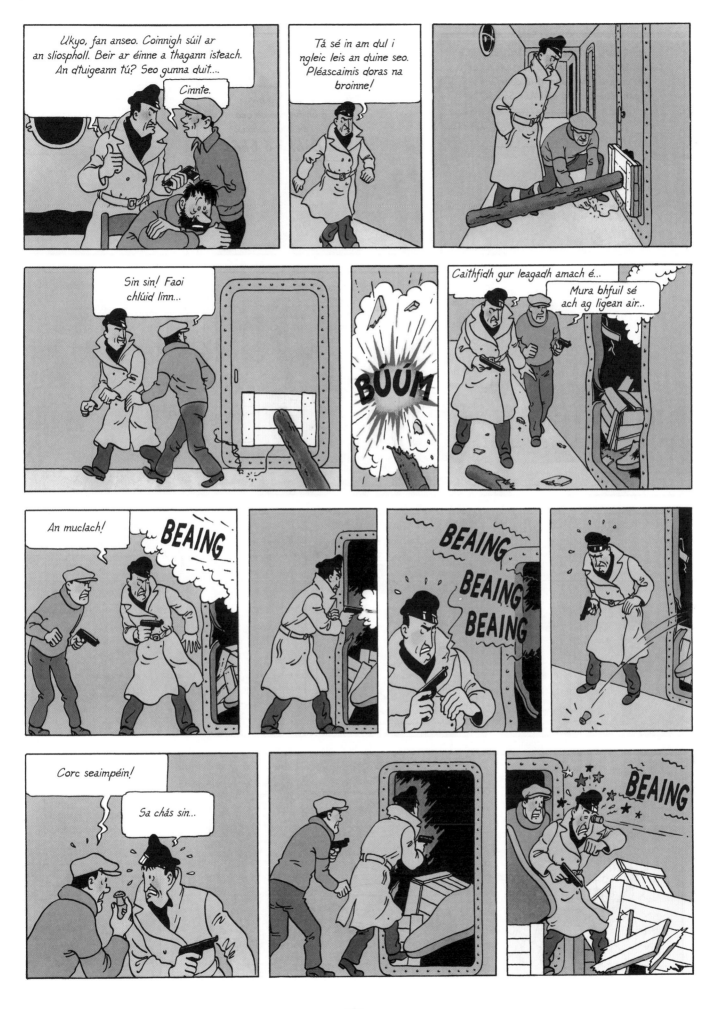

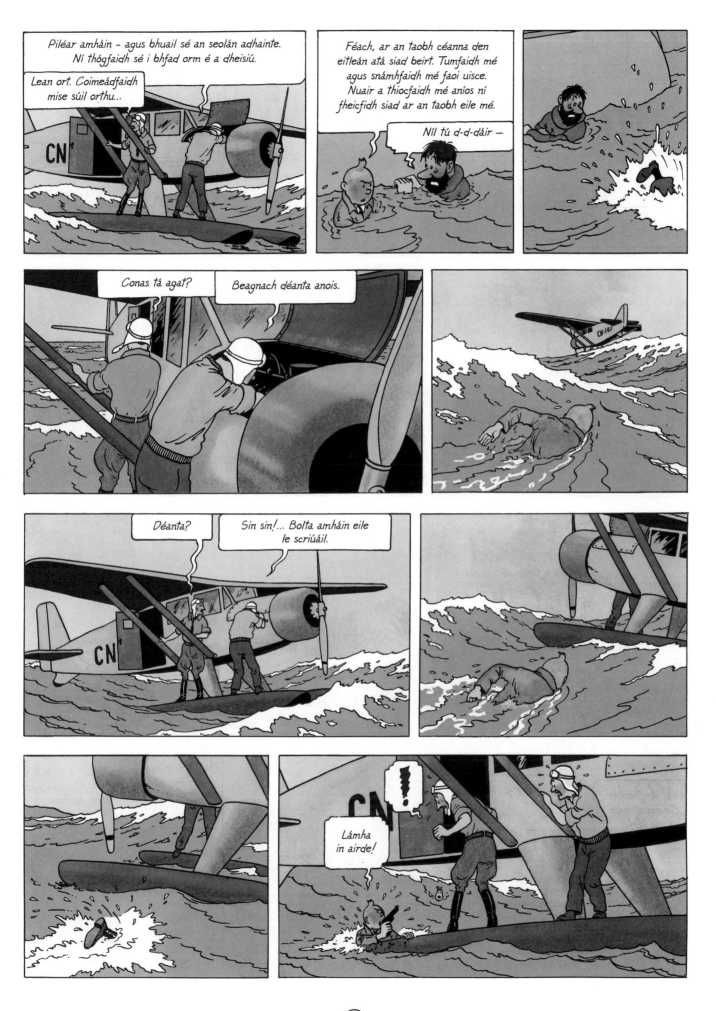

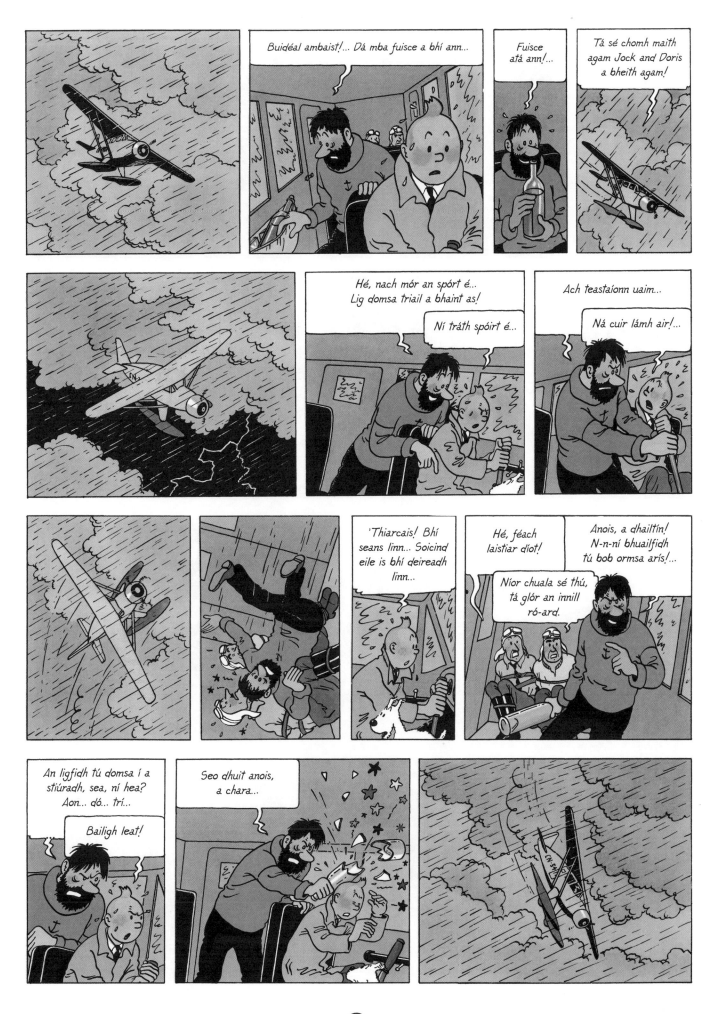

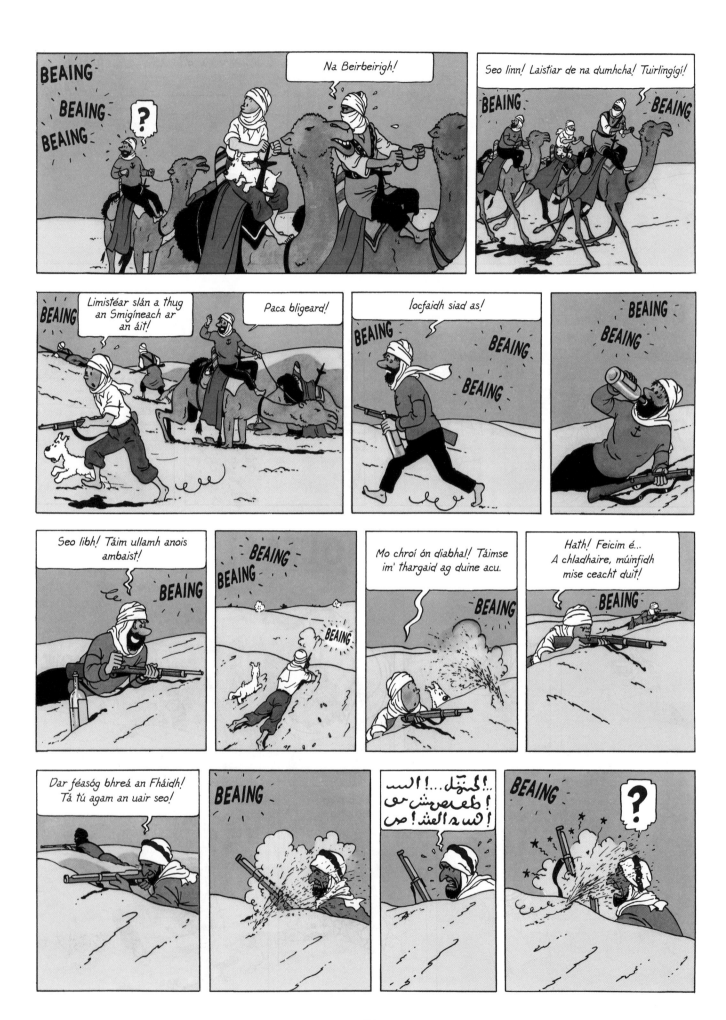

Tá áthas oraibh sinn a fheiceáil, glacaim leis?...

Díreach in am, a Leifteanaint! Cad a thug ort teacht anseo?

Fuaireas teachtaireacht ar maidin go raibh creachadóirí i gceantar Kefheir. Léimeamar sa diallait láithreach... agus seo sinn anois

Cuirfimid an dream seo faoi ghlas agus ansin ó thuaidh linn chun tuilleadh eachtraí den sórt seo a bhac.

Tar éis roinnt laethanta, bhain Tintín agus an Captaen calafort Baqghar amach, i Maracó...

Tugaimis cuairt ar mháistir an chuain féachaint an mbeadh aon eolas aige faoin Karaboudjan.

An-phlean...

!

?

Tintín!... Tintín!... Cad atá ort?

As mo bhealach!

Ar aghaidh libh!

Ar aghaidh!

Paca asal amaideach! Cá bhfuil Tintín? Cad atá cearr leis?

Bí cinnte gan é a ligean as ár radharc!

?

Agus anois?... Shleamhnaigh sé isteach i dteach éigin, ní foláir. Ach cén teach é? Ní féidir fanacht anseo. Is cuma. Tiocfaidh mé ar ais ar ball.

Conas a thiocfaidh mé ar Tintín?

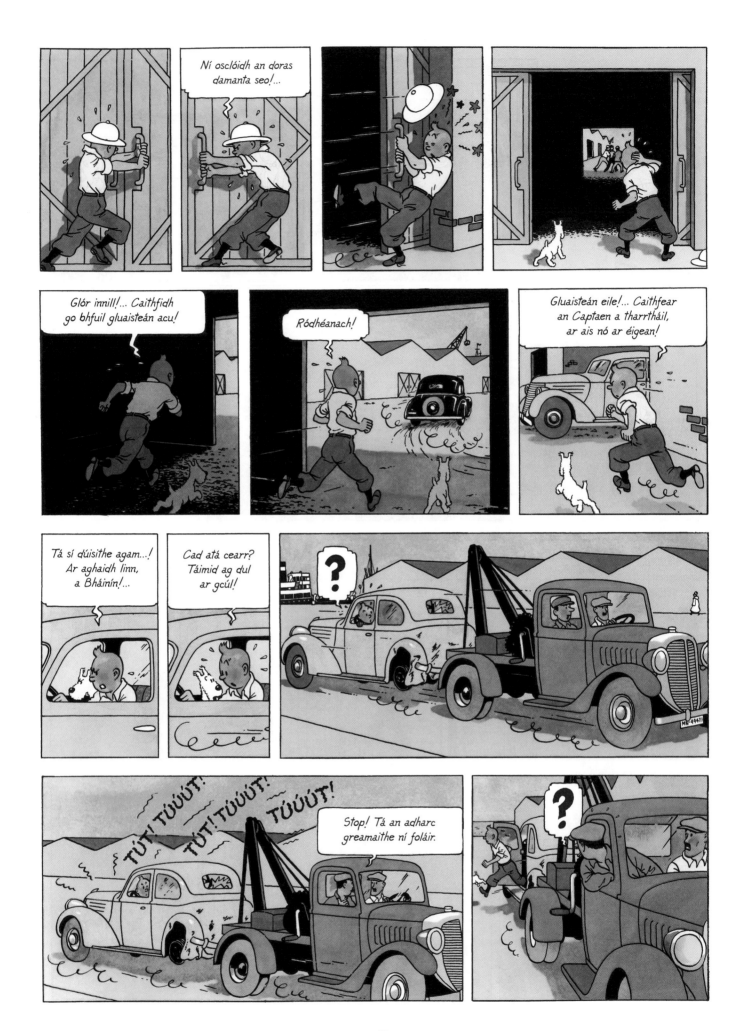

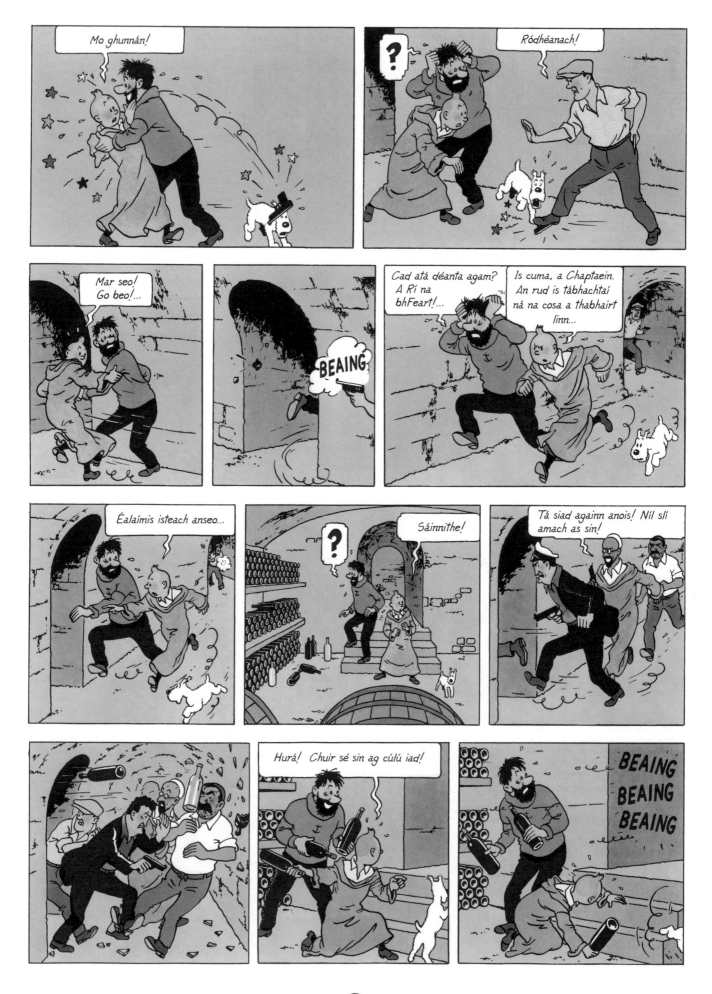

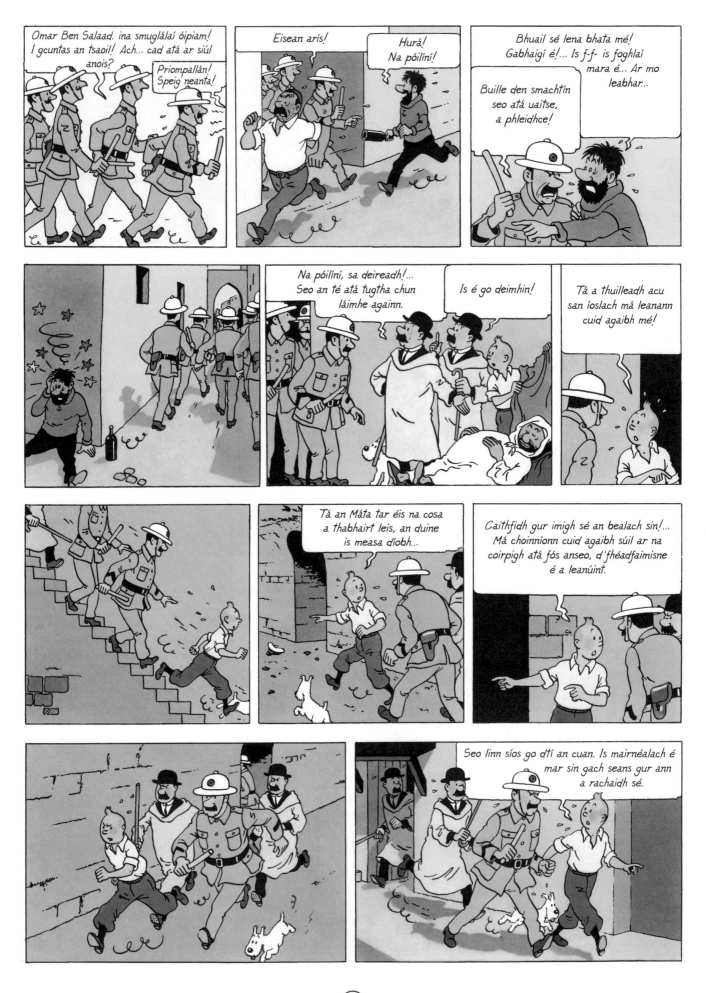

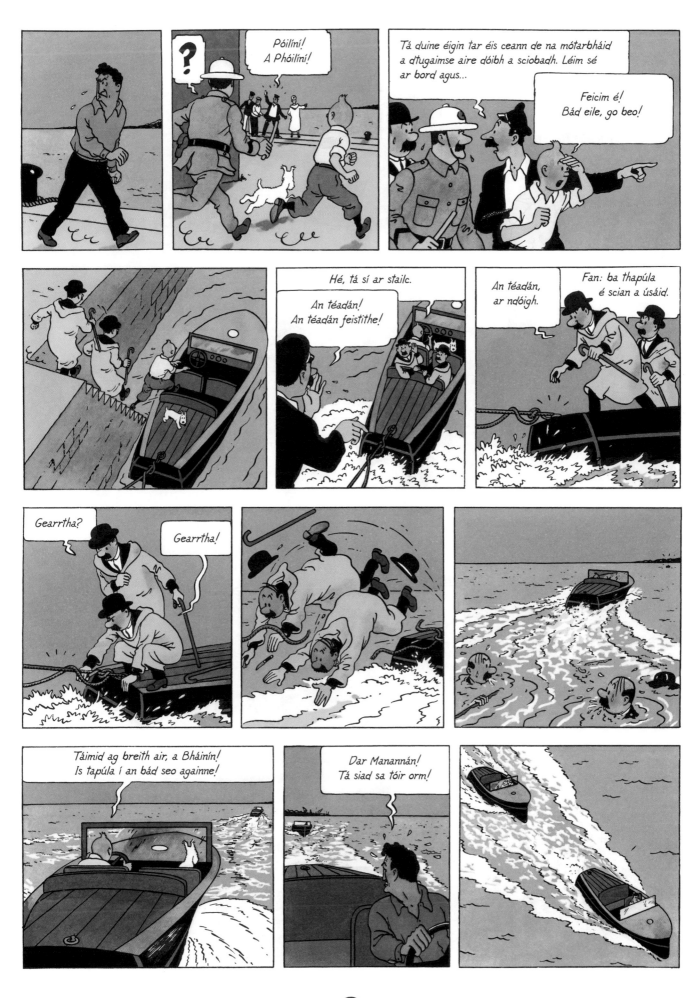